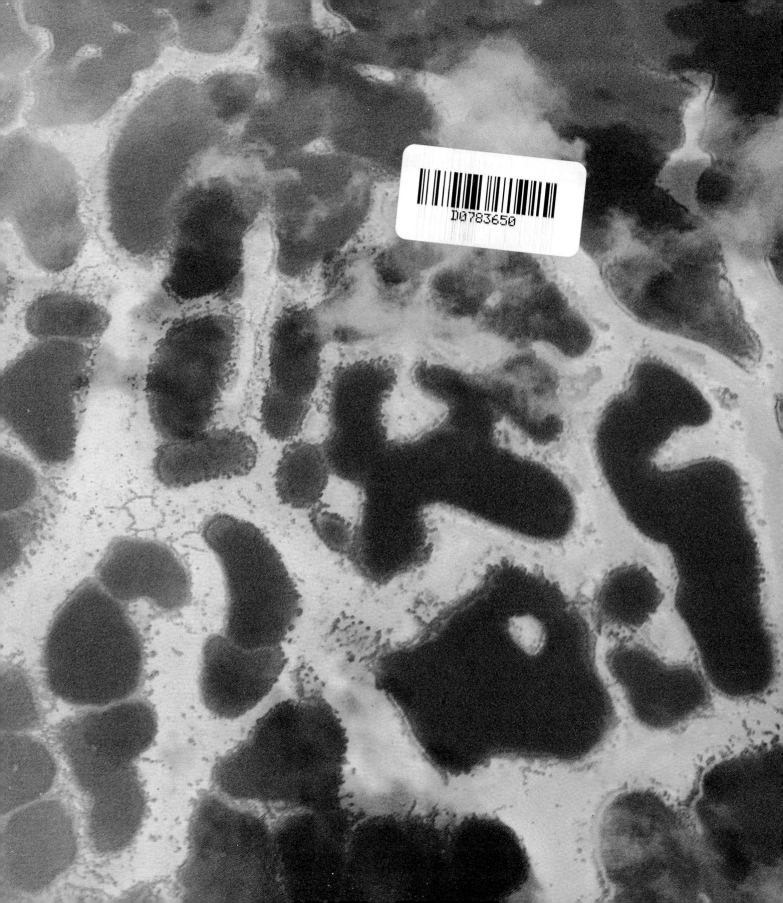

Tahiti vu du Ciel
Les Editions du Pacifique,
422 Thomson Road, Singapour 1129.

© **Times Editions** 1985, 1986, 1988.
Composition par Colset,
Photogravure par Colourscan,
Impression par Tien Wah Press à Singapour.
Tous droits de reproduction, traduction ou
adaptation réservés pour tous pays.

ISBN: 9971-40-002-2

TAHITI
vu du ciel

photographie
ERWIN CHRISTIAN

texte
EMMANUEL VIGNERON de l'ORSTOM

Introduction par
JEAN FAGES, de l'ORSTOM

LES·EDITIONS·DU·PACIFIQUE

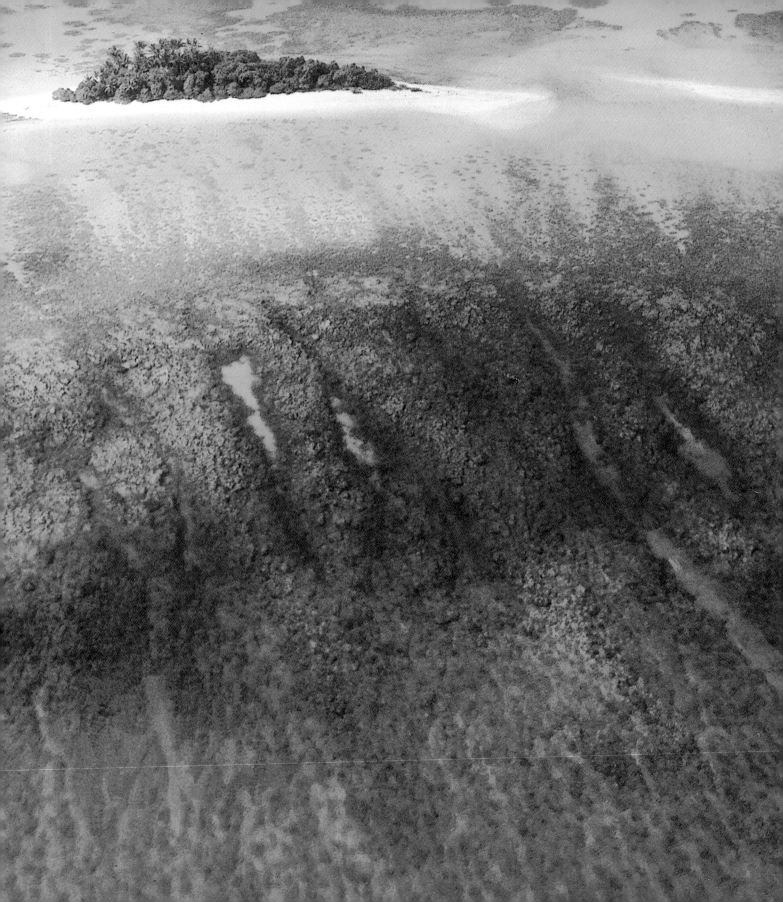

SOMMAIRE

PREFACE 4

INTRODUCTION 6

TAHITI 10

MOOREA 48

LES ILES SOUS-LE-VENT 66

LES TUAMOTU-GAMBIER 86

LES MARQUISES 102

LES ILES AUSTRALES 114

ATLAS 120

PREFACE

Dans la longue liste des ouvrages consacrés à Tahiti et aux îles de la Polynésie Française, celui-ci occupe une place à part. Il n'a pas la prétention de remplacer les ouvrages déjà parus; il complète et enrichit les collections car il renouvelle un sujet traité parfois jusqu'au rabâchage, jusqu'au déjà vu.

Cet album illustre, par l'image, des îles que de nombreux auteurs et photographes ont livré à l'imagination et au rêve des lecteurs. Il réussit le pari de rassembler des vues inédites, inconnues du plus grand nombre, et de présenter des îles nouvelles. Ces îles ne sont pas, en effet, celles que les marins et les terriens ont vues et montrées; ce sont celles que voient les hommes qui travaillent dans le ciel ou qu'aperçoivent et devinent les voyageurs modernes, fugitivement, le temps d'un décollage ou d'un atterrissage.

Instantanément, la surprise est grande tant sont différentes ces îles pourtant familières. C'est qu'elles nous sont offertes à travers un oeil neuf, celui d'un objectif photographique opérant à plusieurs centaines de mètres au-dessus de la terre ou de l'océan. Affranchi des contraintes terrestres, pénétrant les lieux inaccessibles, il voit autrement, et il voit autre chose, enrichissant du même coup toutes nos connaissances.

La vue aérienne apporte en effet une autre dimension. A notre vision horizontale, terre à terre et bornée, elle apporte une vision verticale, panoramique, et un recul. Nos horizons jusque-là limités s'en trouvent agrandis. Le champ de vision s'élargit, les perspectives changent.

L'élargissement du champ de vision permet la découverte de ce que nous ne percevons pas spontanément; il fait apparaître, dans sa quasi intégralité, la réalité du cadre géographique: variété des formes et des dimensions, oppositions des reliefs, des volumes, diversité des couverts végétaux, multiplicité des paysages inconnus et secrets des inaccessibles plateaux, des vallées et sommets de «l'intérieur des îles», contraintes et hétérogénéité des occupations humaines.

Le changement des perspectives suscite la redécouverte de paysages connus et familiers et qui, au premier regard, sont métamorphosés par cette vision insolite. La mer, le lagon, les plages et les plaines, les paysages construits ou transformés par l'homme ne sont plus les mêmes, éveillant notre curiosité et poussant à un examen sensiblement plus attentif de l'image.

Dès lors, ces photographies, par-delà leurs qualités esthétiques, sont porteuses d'informations qui, au prix d'une interprétation plus ou moins détaillée, précisent et illustrent les connaissances que nous avons de ces milieux et des hommes qui les habitent. La géographie est expliquée, leurs histoires anciennes, récentes ou actuelles se lisent sur ces vues qui, bien qu'impuissantes à nous montrer les hommes, nous renseignent sur eux: où ils ont vécu, comment ils ont occupé et occupent encore l'espace accessible, comment ils l'ont utilisé et mis en valeur, comment ils l'ont transformé et construit, comment parfois ils l'ont, hélas, saccagé ou détruit.

Le texte clair et précis est là pour nous y aider. Il facilite la compréhension de ces images d'une rare beauté, et les relie entre elles. Plus classiquement, il nous renseigne sur l'essentiel de ce qu'il faut connaître à propos de ces îles.

Un beau livre, dont la réussite est à imputer au talent des auteurs, est né de cette synthèse. Le lecteur en retirera un plaisir certain et y découvrira une Polynésie que l'on n'avait jamais présentée ainsi. C'était l'objectif. Il est atteint.

Jean FAGES
Directeur du Centre ORSTOM
Nouméa

Ci-contre, la côte est de Moorea sous l'orage.

INTRODUCTION

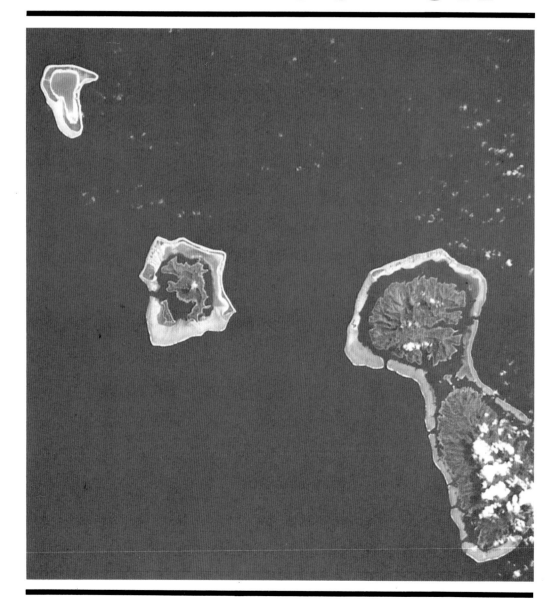

La Polynésie, paradis lointain pour poètes et touristes, règne de l'insouciance et de la facilité, peuplée de *vahine*, doit-elle se résoudre à n'être jamais que cela? Une image au lieu d'une réalité. Non, la Polynésie vaut mieux que ces clichés. Elle est riche et variée, généreuse et sauvage, rétive au carcan des affiches touristiques. Non, les Polynésiens – les *Ma'ohi* – ne sont pas de ces gens qui vous livrent tout à trac et leurs terres et leurs coeurs. Ils ne marchandent jamais leurs trésors d'amitié. C'est cela leur grandeur.

Vue d'avion, la Polynésie est beaucoup plus encore. Bien des éléments de notre géographie mentale – tahitiens ou gens d'ailleurs – se trouvent soudain bouleversés, confrontés à une réalité qui n'était pas perçue, ou tronquée. La Polynésie vue du ciel est en fait un monde neuf. Images prodigieusement éducatives qui voudraient donner à aimer, à comprendre, un monde et des hommes confrontés à de rudes épreuves: celles de la nature, des mutations économiques et sociales et du changement culturel.

De ces îles, l'avion propose un spectacle étonnamment diversifié, tout empli de contrastes et d'oppositions insoupçonnés au sol. C'est que les images dont on a peuplé la Polynésie sont bien commodes. Elles gomment la réalité. La vue aérienne révèle avec puissance les transformations subies par un monde doué d'une incomparable beauté.

La Polynésie française occupe 4 millions de km^2 compris entre 7° et 28° de latitude sud, et 131° et 156° de longitude ouest. D'abord cette immensité étonne: dans ce territoire aussi grand que l'Europe ne vivaient à la fin de l'année 1983 que 166 753 habitants. Puis, elle se comprend: les terres émergées ne totalisent que 3 673 km^2. Moins de 0,1 % de la Zone Economique des 200 miles nautiques, et encore, pour la plupart inhabités car trop pentus ou trop au ras de l'eau.

Cette immensité en soi remarquable se double d'un grand isolement. Malgré une position relativement centrale qui met Los Angeles et Sydney à 6 000 km, Santiago à 8 000 et Tokyo à 9 500, la Polynésie Française est isolée au coeur de l'immense Pacifique Sud tropical.

Mais l'immensité est aussi un gage de diversité. La Polynésie Française est composée de 120 îles, auxquelles on ajoute parfois quelques dangereux îlots.

Cette photo, prise le 16 Septembre 1983 par les astronautes de la NASA, à bord de la navette spatiale, montre, au centre, Bora Bora, encadrée des îles jumelles Raiatea et Tahaa (à droite) et de l'atoll de Tupaï (en haut, à gauche).

Ces îles se regroupent en 4 archipels séparés par de profondes fosses océaniques et disposées en bandes allongées du Nord-Ouest au Sud-Est.

Au centre de ce dispositif, l'archipel de la Société est composé des 5 Iles du Vent dont Tahiti et Moorea, et des 9 Iles Sous-le-Vent. C'est l'archipel le plus varié. Les îles sont en général des îles hautes, volcans érodés aux silhouettes puissantes entourés d'une barrière corallienne isolant de magnifiques lagons. A ces îles hautes s'opposent quelques atolls, surtout au Nord-Ouest, minces anneaux coralliens ceinturant un lagon central.

Plus au Nord et à l'Est, l'archipel des Tuamotu-Gambier regroupe 76 atolls éparpillés sur 300 km du Nord-Ouest au Sud-Est. Nulle monotonie pourtant sur ses langues de corail. Les atolls sont parfois ouverts. Une ou plusieurs passes, du côté sous le vent, assurent les échanges entre le lagon et l'océan. D'autres lagons, ceux d'une quarantaine d'atolls fermés, n'ont pas de réelle communication avec l'océan, sinon par le moyen de quelques chenaux peu profonds, les *hoa*. Cette variété physiographique entraîne de forts contrastes humains dont témoignent les photos aériennes. Mais cette diversité interne s'estompe devant une opposition plus forte encore entre ces atolls et d'autres îles hautes comme les Marquises.

Situé à 1 500 km au Nord-Est de Tahiti, l'archipel des Marquises est un monde à part. Ici nul récif barrière ne vient protéger des îles plus tropicales, plus décharnées encore que dans l'archipel de la Société.

Au Sud et au Sud-Est enfin, les 5 îles Australes sont aussi différentes. Petites et de faible altitude, exposées aux influences océaniques australes, elles sont pour la plupart seulement protégées par un récif frangeant qui empâte la côte.

Tout au long de ces pages, les vues aériennes témoignent de cette grande diversité et de ces contrastes qui ne parviennent pas à dissimuler l'unité certaine des îles polynésiennes.

Unité face à la rudesse du milieu d'abord, même si cela est surtout sensible aux Tuamotu-Gambier et aux îles Marquises. Ne dominant que de quelques mètres le niveau de la mer, les atolls sont très exposés aux effets dévastateurs des cyclones. En 1983, la succession de 5 cyclones a réduit à néant les efforts de plusieurs générations et considérablement bouleversé la topographie de toutes ces îles. Aux Marquises, ce sont surtout les pluies d'une grande violence qui, certaines années, causent des ravages, tandis que des raz-de-marée bouleversent les baies. De telles calamités sont heureusement fort rares dans ces archipels mais font partie du monde polynésien.

Unité encore de l'ancienneté et de l'ampleur de l'humanisation. Les vastes cocoteraies qui peuplent les *motu* les plus désertés des atolls, celles qui occupent les fonds des vertigineuses vallées, ont toutes été plantées. Depuis une génération, l'explosion démographique et la présence du Centre d'Expérimentation du Pacifique ont entraîné de grands travaux et une exploitation accrue des ressources terrestres et maritimes. Les vues aériennes qui montrent l'ampleur de l'emprise humaine récente posent avec clarté la question d'une nécessaire protection de la nature.

Tout cela n'est pas sans engendrer d'importantes transformations des paysages, témoins des mutations économiques et sociales. Depuis la découverte, en 1767, par Wallis, le poids de Tahiti est allé sans cesse en se renforçant. De nos jours, 70% de la population du territoire s'y masse. La traduction photographique en est saisissante. Tahiti s'oppose au vide humain des autres archipels: Polynésie de l'endroit contre Polynésie de l'envers.

Cela se traduit aussi par la concentration, dans l'archipel de la Société, et plus particulièrement à Tahiti, des formes modernes d'activité et l'abandon de la vie traditionnelle jusque dans les îles les plus éloignées. Témoins saisissants: ces vues des hôtels les plus modernes ou des implantations militaires.

La conséquence de tout cela est un changement culturel en profondeur, d'autant plus sensible qu'on est proche de Papeete, le pivot de la Polynésie. Mais les racines de la tradition sont vivaces et le résultat vu du ciel en est ces paysages étonnants où la nature polynésienne et la culture *ma'ohi* affichent partout leurs droits.

C'est à une aventure sentimentale, tour à tour promenade nostalgique ou itinéraire didactique, qu'invitent les pages suivantes. Elles mènent des paysages les plus artificiels à un monde sauvage, à l'image de ce qu'est au fond la Polynésie: un monde riche et contrasté.

TAHITI

B

Vues d'avion la masse imposante de Tahiti et sa silhouette élancée font illusion. Des 1 042 km² de superficie qu'offre l'île, 150 seulement sont peuplés et si les altitudes atteignent 2 241 m au Mont Orohena les hommes et leurs activités se massent au bord de la mer. Ce vide intérieur est la conséquence du relief tourmenté que l'érosion a façonné aux flancs des deux grands volcans qui forment Tahiti. Domaine du vide et de l'inconnu qui s'oppose à une étroite plaine littorale protégée des violences océaniques par une barrière corallienne où vient se briser la fureur des vagues. Première opposition majeure que la photographie aérienne révèle dans toute son importance: les pics et les profondes vallées de l'intérieur contre le calme de la plaine et du lagon, où les maisons, les routes, le port sont le contrepoint d'une nature inviolée et pourtant toute proche, où les jardins et la profusion des plantes ornementales ont triomphé du fouillis de la végétation primaire.

Et ce contraste va sans cesse se renforçant. Les grandes vallées qui s'enfoncent dans l'intérieur étaient, avant l'arrivée des Européens, très peuplées et les voyageurs arrivant par bateau s'étonnaient de ne pas apercevoir de maisons au bord du lagon. Aujourd'hui, ce qui frappe d'abord, en arrivant à Tahiti, c'est l'ampleur de l'urbanisation de la plaine littorale. Mutation profonde et récente: de 37 000 habitants en 1956, Tahiti est passée à 115 820 habitants en 1983. Si l'on survole la côte, cette explosion démographique se lit à livre ouvert.

Le dynamisme démographique, l'installation du Centre d'Expérimentation du Pacifique, le développement considérable du tourisme ont provoqué une modification radicale des paysages, jusque dans l'intérieur gagné aujourd'hui par les besoins d'espaces nouveaux. Et pourtant si les paysages primitifs ont été bouleversés c'est un des privilèges de Tahiti que la nature y reprenne toujours ses droits . . . Même à Papeete les maisons sont entourées d'une profusion de fleurs et il suffit de quelques kilomètres pour se trouver dans les paysages inviolés qui sont un des charmes de la Polynésie. Pour combien de temps? Les pages qui vont suivre montrent bien cette marqueterie où se retrouvent tous les éléments constitutifs de la Polynésie contemporaine.

Tout cela, Tahiti le doit à ce rôle nouveau et sans cesse accru qui est le sien. En 1956 la population de l'île représentait 50 % de celle de l'ensemble de la Polynésie. En 1983, 70 % de la population s'y masse mêlant la modernité la plus audacieuse à la tradition la plus profonde.

Pages précédentes: la légende polynésienne de la création du monde qui attribue l'essaimage des îles à la fantaisie du dieu Taaroa traduit bien la surprise toujours renouvelée de voir surgir du fond des océans ces volcans aujourd'hui éteints, parfois engloutis, que sont les îles de la Polynésie Française. Tahiti est le plus grand de ces volcans, 2 241 m. au Mont Orohena, relié par un isthme à un édifice plus petit qui atteint 1 332 m. au Mont Rooniu.

En page 10, le Diadème dominant Papeete de ses 1321 m.

Rares sont ceux aujourd'hui qui découvrent Tahiti autrement qu'à travers le hublot d'un jet. Les gens d'ici, eux, ont redécouvert leur pays grâce à l'avion qui dessert la plupart des îles. 40 vols internationaux par semaine, et de nombreux vols domestiques, font de l'aéroport de Faaa le carrefour de la Polynésie (ci-dessous).

Papeete s'est développée autour de son port. La vue d'avion permet de lire les différentes fonctions de la capitale de la Polynésie Française. Portuaire bien sûr, avec de vastes infrastructures gagnées sur le lagon. Mais aussi rôle administratif et commercial dont témoignent ces grands bâtiments rayonnants autour du port au centre de la photo. Activités que viennent compléter les quartiers résidentiels visibles au premier plan (ci-contre).

4

5

La plus vieille ville du Pacifique sud ne ressemble plus guère à ce qu'elle fut jadis. Son importance stratégique en fait un port de guerre – dont la photographie aérienne révèle toute l'ampleur – auquel s'ajoutent les installations nécessaires à un trafic de marchandises en tout genre. Pourtant, au cœur de ce Tahiti portuaire et industriel, il n'est pas rare d'assister à des courses de pirogues se frayant un passage parmi les monstres métalliques qui encombrent le port et la zone industrielle de Fare-Ute **(pages suivantes)**.

Motu Uta, l'îlot qui marquait jusqu'en 1965 l'entrée de la rade de Papeete, fut au siècle dernier une agréable résidence pour les Pomare. Plus tard, Bruat y installa une partie du dispositif de défense de la ville. Aujourd'hui **(ci-contre, au premier plan de la photo du bas)**, il n'en reste que le nom et le souvenir, tant a été transformée la physionomie du motu originel. Ses excroissances gagnées sur le lagon en font une des zones les plus actives du port de commerce.

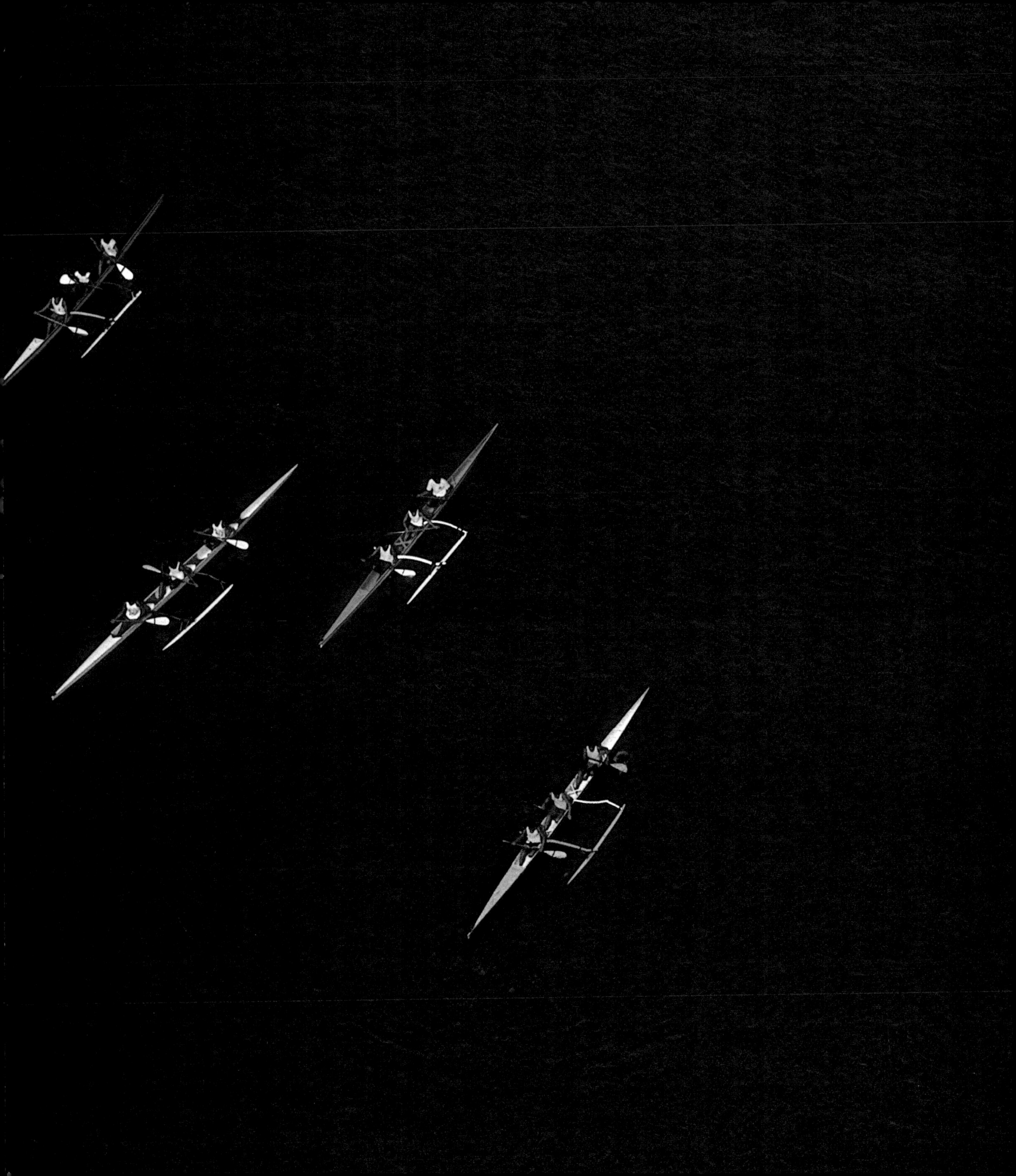

Si pour ceux qui arrivent de l'extérieur, Papeete est déjà la Polynésie, le miroir où viennent se refléter ses multiples facettes, la capitale est aussi pour les Polynésiens la vitrine de l'Occident.

Paradoxalement, c'est au même Quai d'Honneur, face aux bâtiments de l'O.P.A.T.T.I., que viennent accoster les modestes goélettes, assurant le trafic avec les îles, et les orgueilleux paquebots dont les cheminées défient la flèche de la vieille cathédrale *(ci-dessous)*.

Tous trouvent refuge ici, bonitiers, pirogues à voile en attente de régate, voiliers migrateurs mouillés ici aux pieds de l'avenue Bruat *(page de droite, photo du bas)*, où l'ombre des arbres en arcade abrite les hauts-lieux de la vie politique et administrative du territoire.

Que l'on ne se trompe pas: la tradition est partout présente. Que ce soit dans l'architecture de l'Office Territorial d'Action Culturelle *(ci-contre, photo du haut)* ou dans le témoignage vivant qu'en est la foule des fidèles au Temple Paofaï *(pages suivantes)*.

11

9

10

21

*Coeur battant de la Polynésie mais que guette sans doute l'hypertrophie, la zone urbaine s'étend aujourd'hui sur près de 40 km de Paea, sur la côte ouest, à Mahina, au nord-est de Papeete. De grandes artères drainent un flux sans cesse croissant de circulation automobile qui converge chaque jour vers Papeete, empruntant l'échangeur de Pamatai **(ci-dessous, à gauche)** à l'ouest de la ville ou de grandes avenues rectilignes à l'est de Papeete **(ci-contre, photo du haut)**.*

*Tahiti, et particulièrement Papeete et ses environs, connaissent depuis près de 10 ans une croissance démographique sans précédent. La plaine littorale s'est couverte d'un habitat pavillonnaire: à l'ouest de Papeete, sur les communes de Faaa et de Pamatai **(ci-dessous, à droite)** mais aussi loin vers l'Est comme ici, à Pirae **(ci-contre, photo du bas)**. Les activités nouvelles induites par l'installation du Centre d'Expérimentation du Pacifique ont très largement contribué aussi à cette consommation urbaine des terres, particulièrement à l'est de Papeete.*

13

14

16

15

17

18

Au delà de la baie du Taaone et de sa plage ombragée, s'étend la vaste zone résidentielle de Pirae qui commence à ne plus se suffire de la plaine littorale et s'attaque déjà aux flancs des montagnes *(ci-contre, photo du bas)*. De même Arue, qui accueille depuis 1963 les installations du Centre d'Expérimentation du Pacifique, séparé du lagon par un centre nautique très actif regroupant nombre de clubs sportifs dont le Yacht Club de Tahiti *(ci-contre, photo du haut)*.

C'est le tombeau de Pomare V, à l'extrémité de la pointe d'Outua'ia'i, *ci-dessous*, qui veille sur la passe du lagon d'Arue. Au delà c'est l'Océan et la baie de Matavai, où vinrent mouiller les grands découvreurs.

20

21

Les besoins de lotissements nouveaux obligent à partir sans cesse à l'assaut des pentes. De 18 089 habitants en 1956, Papeete est passé à 23 496 en 1983 tandis qu'un district comme Faaa multipliait sa population par plus de 8 dans le même temps passant de 2 657 habitants à 21 927 habitants.

Spectacle étonnant que ces maisons accrochées aux crêtes aiguës de la montagne, ces nids d'aigle perchés vertigineusement sur les arêtes des coulées volcaniques. On y retrouve le silence dont la côte est désormais privée et la fraîcheur qui manque parfois tant aux habitants de la ville.

23

22

C'est ici, à l'est de Papeete, dans la baie de Matavaï qui est aujourd'hui englobée dans la zone urbaine, qu'abordèrent les grands navigateurs du XVIIIe siècle. Ils éprouvèrent, à la vue de Tahiti, un choc émotionnel comparable à celui occasionné aujourd'hui par une arrivée en avion. Les baigneurs de la Pointe Vénus **(page de droite)** n'ignorent certes pas que le phare et les monuments commémorant l'observation du passage de la planète Vénus par le Capitaine Cook sont des repères d'approche de l'aéroport de Tahiti-Faaa.

Un autre repère s'est ajouté plus récemment à ceux-là: l'hôtel Tahara'a dont l'architecture mimétique témoigne des efforts, parfois réussis, réalisés pour la protection du littoral **(ci-dessous)**.

24

26

25

Mais Papeete et sa banlieue ne sont pas toutes entières le coeur de Tahiti. Passée la zone urbaine de la plaine littorale où s'est concentrée l'activité humaine, la nature s'impose très vite. Lorsque commencent les contreforts des montagnes volcaniques, c'est le Tahiti du ''vide'' qui reprend ses droits aux dépens du Tahiti du ''plein'', celui de la modernité.

En allant vers la côte est, la plaine littorale se fait plus étroite et moins peuplée, tandis que les montagnes restent inviolées. Cette opposition préfigure celle existant entre Tahiti et le reste de la Polynésie. **Ci-contre**, la vallée de la Papenoo.

29

34

30

Tout au long de la côte est et au delà, vers la presqu'île, Tahiti se révèle d'abord par la puissance et la majesté de son relief. L'érosion a buriné les flancs des volcans, creusant de profondes et sombres vallées, ciselant des pics inaccessibles, ne laissant subsister que des lambeaux des surfaces primitives. La végétation se presse dans les vallées et sur les premières pentes en un fouillis impénétrable. Elle est très dégradée sur les plateaux que l'on tente de reboiser.

L'apport des sédiments arrachés aux volcans a façonné sur presque tout le pourtour de l'île une plaine littorale le plus souvent réduite à quelques centaines de mètres de largeur, comme ici sur la côte est. Aujourd'hui désertées, ces grandes vallées qui s'enfoncent dans l'intérieur étaient très peuplées avant l'arrivée des Européens. Le mouvement s'est encore amplifié de nos jours au profit de la capitale et la côte est apparaît bien déserte comparée au nord-ouest de l'île.

31 32   35

Le nombre des hommes et l'ampleur de leurs activités au nord-ouest de l'île ont provoqué une redéfinition du rôle des districts de l'est et du sud. Vu d'avion on découvre le remodelage de leur physionomie. **Ci-contre**, l'isthme reliant Tahiti Nui à Tahiti Iti. L'agriculture sur ces grands domaines est destinée à l'approvisionnement de la zone urbaine. Cultures maraîchères, prairies, plantations se partagent les terres **(pages suivantes)**.

Refuge du Tahiti d'autrefois, la presqu'île, dont la côte est **(ci-dessous, photo de droite)** est battue par la violence des flots, apparait comme un dernier îlot naturel. Aucune route ne dépasse Tautira, le havre de paix où séjourna Stevenson en 1888 **(ci-dessous, photo de gauche)**.

34

35

Pourtant, loin des bruits de Papeete, la côte sud témoigne elle aussi de l'activité économique majeure du Tahiti contemporain: le tourisme. Le terrain de golf d'Atimaono, sur un magnifique parcours, attire de plus en plus de monde *(ci-contre)*.

A Papeari, le Musée Gauguin *(ci-dessous)*, situé dans le cadre exceptionnel du Jardin Botanique Harrison Smith, rassemble de nombreux documents, gravures originales, bois sculptés et céramiques de l'artiste.

En page de gauche, le village de Papara, sur la côte sud, conserve son charme rural et ses traditions.

Perché à 473 m. d'altitude, sur la commune de Mataiea, le lac Vaihiria est fréquenté par les randonneurs en quête de tranquillité ou par les chasseurs de ses fameuses anguilles, celles des légendes anciennes **(ci-contre)**.

Plus près de Papeete, à Punauia, le Musée de Tahiti et des Iles abrite une très importante collection d'art primitif océanien, spécialisée dans l'histoire Polynésienne **(ci-dessous)**.

41

40

Se rapprochant de Papeete, l'occupation du sol se fait plus dense, comme en témoigne la mosaïque des toitures vues du ciel. Punauia *(ci-dessous)* s'est développée en une des communes résidentielles les plus importantes de la zone urbaine. Et bien que, là aussi, on tende à bâtir sur les hauteurs *(en page de droite, photo du bas, le lotissement* Le Lotus*)*, les verts de la végétation et les bleus du lagon restent prédominants dans la palette du paysage. La plage blonde du Tahiti-Village *(ci-contre)* et les pontons de la Orana Villa *(page de droite, photo du haut)* rappellent que si la ville s'étend jusque dans la montagne, le bord de mer demeure le pôle d'attraction principal des habitants.

45

44

Aux abords de Papeete sur la côte nord-ouest, une succession d'hôtels internationaux allie l'architecture la plus moderne aux constructions traditionnelles des fare, dont les toits de pandanus tressé vus d'avion sont la signature. Situés en bord de mer, ces hôtels n'accueillent souvent que des touristes en transit vers les autres îles.

Ci dessous, l'hôtel Maeva Beach. ***En page de droite***, les installations de l'hôtel Beachcomber.

48

47

MOOREA

A sept minutes d'avion, ou à quarante-cinq minutes de bateau (ci-contre le *Keke III*), de Tahiti, de la ville et de ses bruits, Moorea, la petite île-soeur, charme et enchante. Ici, les habitants de Tahiti ou ceux des grandes villes industrielles peuvent se laisser bercer, sans crainte, par la douceur et l'équilibre des paysages et des gens.

Quel contraste! Ici tout est à échelle humaine. L'île, de taille modeste, offre mille paysages. L'oeil peut se promener aussi bien sur le lagon et la riante plaine littorale que dans l'intérieur sombre et grandiose où les sommets déchiquetés atteignent 1 200 m d'altitude. Et rien ne vient heurter la perfection de ce spectacle: pas de fils électriques, peu de haies, des jardins merveilleusement fleuris qui entourent des *fare* souvent remarquables.

Un heureux effort de protection de l'île et d'intégration des nouvelles construction à l'environnement a permis à Moorea d'être mieux préservée et de demeurer ce qu'elle a toujours été: un des joyaux du Pacifique.

Comme en un kaléidoscope naturel, chaque domaine, lagon, littoral, intérieur, se divise à son tour en une infinie variété d'images. Le lagon de Moorea est l'un des plus magnifiques de la Polynésie. Si la vue d'avion n'en révèle pas la richesse de la faune, elle en montre le jeu sans cesse changeant des verts émeraude et des bleus les plus variés, bordés par des plages de sable corallien d'un blanc éclatant. Et que dire du relief: pitons admirablement ciselés par une érosion intense qui forment l'armature de l'île, vaste cratère égueulé qu'encadrent les deux baies de Cook et d'Opunohu donnant un des plus beaux paysages du monde.

Dans ce cadre merveilleux, les hommes s'adonnaient il y a encore peu aux cultures traditionnelles du café et de la vanille, à la pêche et au tressage du pandanus. Mais Moorea a changé. Aujourd'hui l'île affirme pleinement sa vocation touristique. En 1960, elle n'offrait que 13 lits hôteliers; en 1981, 585 chambres accueillaient des visiteurs venus du monde entier comme de la toute proche Tahiti. Et de nouveaux projets viennent sans cesse augmenter ses capacités hôtelières.

Peut être, cette vocation d'accueil touristique est-elle née vers le milieu du siècle dernier, lorsque la reine Pomare IV prit l'habitude de venir s'y reposer.

Pourtant, loin d'être emportés dans le tourbillon de la modernité, Moorea et ses habitants comblent toujours les nostalgiques de la Polynésie d'autrefois.

Pages précédentes: vue d'avion, sous cet éclairage classique de fin de journée, Moorea surprend et émerveille. Les dimensions humaines d'une île de 132 km², des paysages variés, des baies profondes au Nord, tout cela concourt à rendre vivant le mythe: aperçue du ciel, la forme de l'île soeur est celle d'une île coeur.

Une piste d'atterrissage cernée du même blanc éclatant que celui de la plage toute proche, une cocoteraie disciplinée et un lac lagunaire presque noir sous le soleil: telle est la première vision qu'offre Moorea lorsqu'on s'approche de l'aéroport de Temahe *(ci-dessous)*. Tout près de là, à Maharepa, l'hôtel Bali Hai *(page de droite)*.

51

50

Au nord, la baie de Cook est dominée par les montagnes de basalte qui sont une des célébrités de Moorea. **En page de gauche**, en arrière plan des installations du Club Bali Hai et du village de Paopao situé au fond de la baie, le mont Rotui (899 m.) veille à l'harmonie du lieu.

Dans ce cadre grandiose, **ci-dessous**, toutes les activités de Moorea sont résumées. Paopao tire ses principales ressources du tourisme (au premier plan, l'hôtel Kaveka) et de la culture de l'ananas sur les hauteurs, au pied du Belvédère **(ci-contre)**. A gauche sur l'horizon, le Moua Puta (830 m.) et au centre le point culminant de l'île, le Mont Tohivea (1207 m.).

54

55

Au nord de la baie d'Opunohu, le village de Papetoai **(ci-dessous)** s'organise autour de la réplique, construite à la fin du siècle dernier, du premier temple en pierre de Polynésie. A la vigueur de la tradition chrétienne s'ajoute la modernité de l'équipement et des activités pour l'essentiel dévolues au tourisme. **Ci-contre**, l'hôtel Moorea Lagon.

En page de droite, l'entrée de la deuxième baie du nord de l'île, la baie d'Opunohu qui abrite un centre de recherches sur l'environnement.

56

57

Le long de la côte nord, les hôtels se succèdent, comme ici le tout récent Climat de France *(ci-dessous)*. Mais c'est à la corne nord-ouest de l'île, dans le district de Papetoai *(page de droite)*, que s'est développé le plus grand complexe d'accueil touristique de Polynésie: le Club Méditerranée *disperse ses installations dans une cocoteraie de quinze hectares en bordure de lagon.*

61

60

59

Au sud-ouest de l'île, l'église de Haapiti, construite en corail et en chaux à la fin du siècle dernier au centre des vastes domaines de l'église catholique, marque l'importance de la tradition rurale et religieuse *(page de gauche)*.

Moorea allie l'hôtellerie de qualité à l'attrait de la vie chez l'habitant, toujours possible. En bordure du lagon, ceux qui ne travaillent pas pour les grands hôtels ou à Tahiti accueillent souvent les visiteurs *(ci-dessous)*.

64

63

Sous cet angle inhabituel, se confirme la splendeur parfaite de Moorea. L'île a la chance qu'on prenne soin de la préserver, dans un réel effort d'intégration au site des constructions nouvelles. **Ci-dessous**, l'hôtel Kia Ora.

Tetiaroa, seul atoll des Iles du Vent, est aussi l'île basse la plus proche de Tahiti. Jadis résidence de la famille royale de Tahiti, elle appartient aujourd'hui à Marlon Brando. Merveilleux refuge pour les oiseaux de mer, l'île s'ouvre, avec une légitime parcimonie, aux touristes amoureux de nature.

67

68

LES ILES SOUS-LE-VENT

«Je ne crois pas qu'il y ait sous le soleil de peuples plus heureux, et qui aient autant de raisons de l'être que ceux qui habitent ces îles. Ils disposent à profusion non seulement de tout ce qui est nécessaire pour vivre, mais aussi de beaucoup de superflu». Dans l'emportement du découvreur, c'est ainsi que parlait le capitaine Cook des Iles Sous-le-Vent qu'il atteignit au mois de juillet de l'an 1769.

Les Iles Sous-le-Vent suscitent toujours, comme au temps des grands navigateurs, l'engouement des amoureux du rêve. C'est ici que le mythe que l'on doit à Loti a pris naissance et que bien d'autres, comme Gerbault, l'ont développé. Mais c'est par là également qu'en 1942 la Polynésie est entrée brutalement en contact avec le monde moderne après l'installation par les Alliés d'une base arrière pour la guerre du Pacifique. Ce sont ces îles dont les noms chantent sur les affiches touristiques du monde entier: Huahine, Bora Bora. . . C'est ici aussi que se trouve l'île sacrée des Polynésiens: Raiatea, et son *Marae Taputapuatea.*

Situées dans le nord-ouest de Tahiti, sous le vent des alizés, les 9 îles qui composent l'archipel (cinq îles hautes, Raiatea, Tahaa, Huahine, Bora Bora, Maupiti et quatre atolls, Tupaï, Mopelia, Scilly, Bellinghausen) constituent avec Tahiti et Moorea la partie émergée d'une grande dorsale qu'un mouvement plongeant fait disparaître. D'où la diversité de ces îles: au Sud-Est, Huahine, Raiatea, Tahaa sont élevées et ceintes de lagons plus larges que Moorea et Tahiti. A l'Ouest, les édifices volcaniques n'émergent que faiblement au milieu d'immenses lagons (Bora Bora, Maupiti) et cèdent la place à des atolls (Mopelia, Scilly, Bellinghausen).

Longtemps isolées, vivant en autarcie, ces îles, du moins les îles hautes, sont aujourd'hui très fortement intégrées à Tahiti et aux circuits touristiques. Plusieurs vols par jour desservent les Iles Sous-le-Vent. Mais ici, plus encore qu'à Moorea, du fait de l'éloignement, rien ne parvient à troubler réellement la sérénité et l'attachement aux traditions dans ces îles bien différentes, au fond, d'une simple carte postale de vacances.

Pourtant, peut-on imaginer des îles qui correspondraient plus, aux mythes colportés sur les ''mers du sud'': un tel équilibre, une telle harmonie des dimensions, des formes et des couleurs, une telle variété, ne peuvent, aujourd'hui encore, que favoriser les aspirations au voyage.

71

72

Pages précédentes: splendeur des lagons, ciselure des reliefs caractérisent les paysages des Iles Sous-le-Vent. Au premier plan Raiatea, enfermée dans le même lagon que Tahaa, est à plus d'un titre la capitale administrative et commerciale de ces îles. Mais c'est Bora Bora à l'arrière-plan qui apparait comme le centre de l'activité touristique. Au loin, et au centre de la photo, l'atoll de Tupaï, comme flottant à la surface de l'Océan.

Raiatea, l'île sacrée de la Polynésie, est l'île la plus grande de l'archipel et la plus chargée d'histoire. Anciennement nommée Havaï, la terre des ancêtres où l'âme des morts doit retourner, on dit qu'elle fut l'objet de grands pèlerinages venant d'aussi loin que de Hawaï. Le grand marae de Taputapuatea *(page de gauche, photo du haut)*, aujourd'hui partiellement restauré, aurait été le point de convergence de toutes ces dévotions. Et si l'on remet en cause, de nos jours, la date de son édification, il n'en reste pas moins que sa renommée et son prestige étaient immenses dans tout le triangle polynésien, pour l'importance de ses dimensions et celle du culte qu'on y vouait au dieu de la guerre Oro. *Ci-dessous*, photo de gauche, l'îlot Nao Nao, au sud de Raiatea.

73

74

Uturoa, ici sous trois angles différents, est la seconde ville de Polynésie Française, avec plus de 2700 habitants. Elle est aussi la capitale administrative et le port principal des Iles sous le Vent. Modernisée et urbanisée sans avoir rien abandonné du charme que lui a conféré son éloignement, elle continue à vivre au même rythme calme et serein que le reste de Raiatea.

76

77

Ile jumelle de Raiatea, Tahaa est enfermée dans le même lagon que sa soeur. C'est ici que repose la petite Rarahu l'héroïne du ''Mariage'' de Pierre Loti. On ne peut y accéder que par bateau, de Raiatea, et Tahaa parait plus éloignée du reste de l'univers que ne peuvent le faire croire les quelques kilomètres de lagon séparant les deux îles. Les habitants y vivent extrêmement proches de la nature, moins prodigue *ici* que dans les autres Iles sous le Vent. Pourtant au nom de *Tahaa*, reste attachée la réputation de haute qualité qu'a la vanille qu'on y produit toujours. **Ci-dessous**, le village de Tiva, dans l'ouest de l'île.

Huahine est l'Île sous le Vent au littoral le plus découpé. De multiples lagunes et lacs salés intérieurs déclinent l'originalité de son identité: le mode de vie s'y est organisé aux abords de villages lacustres sur pilotis qui s'égrennent autour de l'île. Témoin de la vivacité de la tradition, le village de Maeva, ancien grand centre religieux aux nombreux *marae* visitables aujourd'hui encore, utilise toujours ces antiques pièges à poissons barrant la lagune *(page de droite, photo du haut)*.

Quant à la ville de Fare *(ci-dessous, à gauche)*, capitale vivante et accueillante de l'île, elle expédie vers Tahiti les productions agricoles de ces larges *motu* fermant la dentelle lagunaire des côtes nord et est *(ci-dessous, au centre)*.

En page de droite, photo du bas, le calme village de Parea.

Pages suivantes: Bora Bora, vue ici du Nord, avec les pitons décharnés du mont Otemanu (727 m), plus haut sommet de l'île, et ceux du mont Pahia (661 m).

83

Clair-obscur par temps d'orage sur Bora Bora. Une île principale d'environ 10 km de long sur 4 km de large et deux îles plus petites couvrent une superficie d'environ 40 km². Ces vestiges d'un ancien volcan sont ceinturés d'un récif interrompu par une passe unique et profonde, enfermant l'un des lagons les plus célèbres du monde. Le long de la barrière corallienne, se sont développés plusieurs motu dont le plus septentrional, Motu Mute, abrite l'aéroport de l'île.

85

88

Presqu'aussi célèbre que Tahiti, Bora Bora en est éloigné de 240 km et, bien que victime de tous les clichés colportés sur les ''mers du sud'', elle reste à la hauteur de la réputation de parfaite beauté qu'elle dispute à Moorea et Huahine. En témoignent la splendeur du lagon à la pointe Matira **(en page de gauche)** et le Motu Tapu **(ci-contre)**, situé au sud de la passe unique.

87

L'atoll de Tupaï, ***ci-dessous***, est aujourd'hui un domaine privé recouvert d'une cocoteraie parfaitement entretenue. Il est l'atoll le plus proche de Tahiti, Tetiaroa excepté, et se situe à une quinzaine de kilomètres au nord de Bora Bora.

En marge du grand tourisme, la petite île de Maupiti, isolée au milieu de son grand lagon qu'une seule passe dangereuse pénètre (au Sud-Est, à l'arrière-plan à droite) permet de vivre au contact des Polynésiens (***ci-contre***). Au loin, de gauche à droite sur l'horizon, on aperçoit Bora Bora, Tahaa et Raiatea.

LES TUAMOTU-GAMBIER

Loin, loin dans l'est de Tahiti quelques langues de terre isolées au milieu de l'océan, au nord du Tropique du Capricorne. Des atolls éparpillés sur un croissant de 2 300 km de long et 500 km de large. Papeete, déjà à 300 km de Rangiroa et à 1 700 km des Gambier. Perdus dans cette immensité, dispersés sur plus d'un million de km², 908 km² de terres seulement, que la mer paraît toujours prête à engloutir, ou le ciel à dévaster. La succession de cyclones qui s'est abattue sur la Polynésie, et principalement sur les Tuamotu, en 1983, n'a pas eu raison de la vitalité qui règne ici malgré les difficultés qu'on y rencontre.

Coincés entre le ciel et l'eau, 76 anneaux de corail dont l'épaisseur n'est due qu'aux cocotiers, ombres chinoises d'un immense théâtre. Un mélange jamais semblable de ces quatre éléments: le ciel, le lagon, le corail et le cocotier, au milieu de l'océan. Des couleurs vitrifiées, des lignes qui se tordent sous une chaleur implacable, se délavent aux orages ou se fondent quand arrive la nuit.

De l'eau salée partout. Côte océan, la fureur des brisants, labourant le récif. A quelques pas de là, le lagon, immobile, éblouissant, s'amusant du ciel et de ses ombres. Et l'aveuglement de la plage de sable.

Pas de cours d'eau, point de terre à travailler, quelques trous seulement remplis d'un précieux terreau apporté par bateau. Du poisson en quantité, mais parfois empoisonné par la ciguatera qui sévit dans les zones coralliennes, lorsque les eaux ont une température de plus de 20 degrés centigrades.

Et des nacres, bien sûr, dont la pêche avait subi dans les années cinquante un fort ralentissement et qui voient aujourd'hui, à la faveur de leur nouvelle exploitation, renaître certaines îles de l'Archipel.

Peu d'hommes, 11 793 en 1983, mais des hommes pourtant, sur la moitié de ces îles, groupés le long des passes, du côté du lagon, édifiant des citernes, récoltant le coprah. Demandant au lagon de quoi nourrir leurs corps, ils prient Dieu et le Ciel de leur laisser un peu plus que le temps de passer. Des hommes résistants, sympathiques, dont la vue d'avion ne montre que le fruit du travail.

Des îles encore bien isolées, malgré un nombre toujours plus important de goélettes et d'avions, malgré le tourisme et en dépit de la présence des sites du Centre d'Expérimentation du Pacifique à Moruroa, Fangataufa et Hao.

Tels sont les Tuamotu-Gambier: une réserve intouchée de beauté où l'imagination, tout comme l'oeil, est frappée par autant d'intensité.

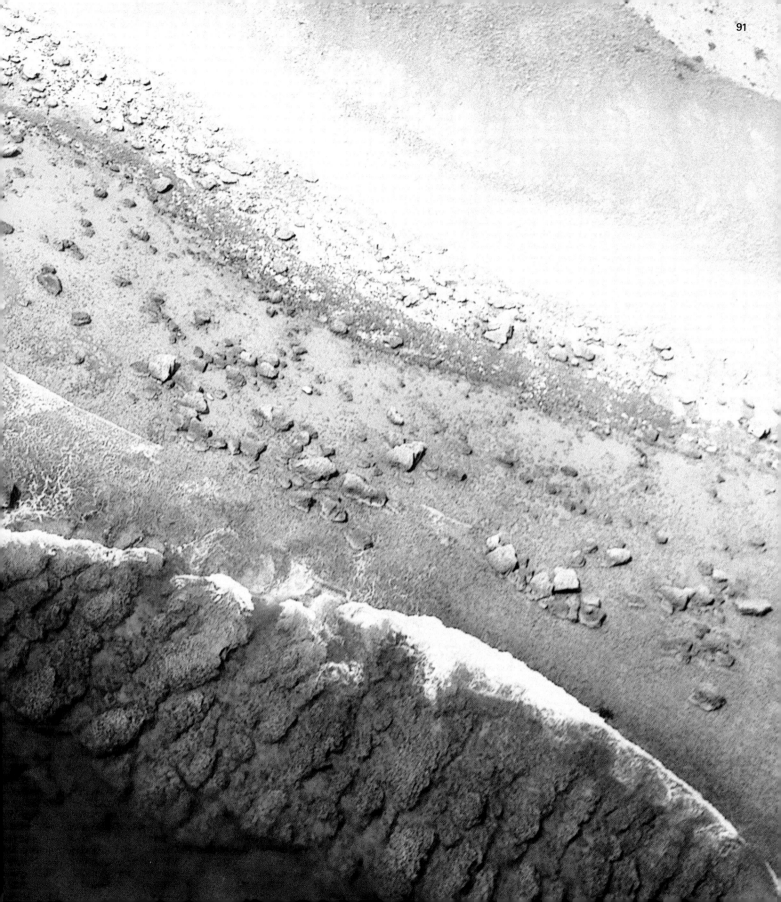

92

93

Double page précédente: à Takapoto, dans les Tuamotu du Nord-Ouest, les différents états du corail formant un atoll.

En page de gauche, les villages d'Avatoru *(photo du haut)* et de Tiputa *(photo du bas)* à Rangiroa. Atoll le plus important des Tuamotu, par ses dimensions (près de 72 km de long sur 16 km de large) et sa population (plus de 1400 habitants), Rangiroa est aussi celui où l'activité touristique est la plus développée.

Mataiva, situé à l'extrême ouest de l'archipel, a pour originalité la richesse en phosphate extractible de son lagon. Au contraire de Makatea (situé à 100 km plus au sud), l'exploitation de cette ressource n'y a pas encore commencé *(ci-dessous)*.

Au nord-est de Rangiroa, Manihi **(en page de droite)** vit de la pêche, du tourisme et de l'exploitation de la nacre dans la ferme perlière qui y est implantée depuis une quinzaine d'années. Au centre de la photo, l'hôtel Kaina Village.

Ci-dessous, la cocoteraie d'Aratika plantée en chapelet au long de l'anneau récifal témoigne de l'impulsion nouvelle donnée au développement de certains atolls.

Ci-contre, Anaa, dans les Tuamotu de l'Ouest.

97

98

Sur les atolls la vie est difficile. Les hommes se groupent pour la rendre moins âpre et exploiter ensemble quelques bien maigres ressources.

A Apataki, seule la piste d'aviation vient rompre l'isolement *(ci-dessous, à droite)*.

A Rangiroa, les rahui — les secteurs — ne sont fréquentés qu'épisodiquement pour le coprah ou même le tourisme parfois *(ci-dessous, au centre)*.

Souvent, près des villages, des parcs à poisson constituent de véritables viviers, ici à Hao *(page de gauche, photo du bas)*.

Ci-contre, l'atoll de Marokau, au premier plan, et celui de Ravahere, en forme de fer de lance.

Le 19 juillet 1963, la Légion débarquait à Moruroa. Depuis, la présence du C.E.P. a entrainé de multiples changements. Et d'abord, vu d'avion, celui des paysages. **En page de gauche**, l'atoll de Moruroa, siège des expériences atomiques, a été complètement transformé. **Ci-dessous**, l'atoll de Hao, devenu base arrière, s'est couvert de constructions nouvelles.

Ci-contre, cette vue d'une partie de l'atoll de Moruroa révèle bien l'anatomie d'un atoll. A gauche la pente externe, où se brise la houle, précède la crête, à éperons-sillons de couleur brun rouge. Le platier extérieur, vert émeraude ou brun, est riche en coraux. Ici pas de terres émergées, motu ou plages, une route seulement. A droite le lagon, immobile, d'où émergent quelques pâtés coralliens: les karena.

103

102

Des milliards d'êtres vivants, madrépores et algues calcaires, édifient depuis des millions d'années un véritable rempart croissant, tandis que le socle volcanique s'enfonce dans la mer ou que le niveau de celle-ci s'élève. Ainsi se développent ces anneaux nommés atolls, comme ici Tepoto, dans les Tuamotu du centre.

104

Au Sud-Est, les îles Gambier sont formées de quatre îles hautes principales, Mangareva, Aukena, Akamaru et Taravai, enserrées dans une même couronne récifale. Mangareva, **page de droite, en bas**, culmine à 441 m. Un demi-millier de personnes y vivent, regroupées à Rikitea **(ci-dessous)**. L'imposante cathédrale visible au milieu du cliché témoigne que c'est aux Gambier qu'a été établie en 1834 la première mission catholique de Polynésie française. L'île est aujourd'hui parsemée de monuments insolites, répliques d'édifices européens. C'est l'oeuvre du prêtre bâtisseur, Honoré Laval, au XIXe siècle.

Dans les années 1830, la population de cet archipel atteignait sans doute 2500 habitants dont au moins 200 sur la petite île d'Akamaru **(page de droite, photo du haut)**. Mises au contact des marins européens et de leur cortège de maladies, qu'elles n'avaient jamais connues, ces populations furent décimées. En 1887, date du premier recensement officiel, ne restaient plus aux Gambier que 463 habitants, dont une cinquantaine peut-être à Akamaru, où plus personne ne vit aujourd'hui.

107

106

LES MARQUISES

Les Iles Marquises furent le premier archipel polynésien découvert par les Européens. Dès 1595, par l'Espagnol Mendana pour le groupe sud et en 1791 par l'Américain Ingraham et le Français Marchand. Elles sont aussi celles qui résistèrent le plus violemment à une forme de colonisation dont elles ne voulaient pas. Les Marquisiens sont très accueillants aux étrangers, et des plus farouches pourtant.

Ils ont été décimés par les guerres et les maladies et détiennent pourtant des records de progression démographique. Ils étaient plus de 50 000 à l'arrivée des Européens — peut-être beaucoup plus — à peine 2 000 en 1926. Ils sont aujourd'hui 6 548.

La *popoï*, le *kaaku* — préparations du fruit de l'arbre à pain — la sculpture du bois, la chasse et la pêche occupent les travaux et les jours. Mais, assis sur la terrasse cyclopéenne d'un *Pae Pae hiamoe* — la case d'habitation — les Marquisiens, coupés de leur passé et d'une tradition qui ne subsiste que par bribes, vous parlent de Papeete, la ville phare, de la France, d'ailleurs. Son isolement étant désormais rompu, l'archipel s'engage peu à peu dans la voie du progrès tout en conservant sa très originale personnalité.

Le relief est abrupt et tourmenté. La côte, que ne protège nulle barrière, est rongée par la mer. Les pluies diluviennes succèdent à la sécheresse, mais les vallées sont des paradis aux enfants souriants. Sur les flancs décharnés des volcans, l'érosion torture la lave où trébuchent des troupeaux de chèvres et des chevaux sauvages. Mais, quand la faim tenaille, oranges, corossols, pommes cannelles, goyaves et tant d'autres fruits se présentent à vous.

Singulière existence. Iles étranges, vertes et bleues. Elles ont conquis Paul Gauguin, autrefois, Jacques Brel, il y a peu, et d'autres qui sont encore là, y accrochant leur coque.

Monde passionnant, inventif. C'est d'ici que les *Ma'ohi* ont peuplé la Polynésie Orientale, poussant jusqu'aux Hawaii et à l'Ile de Pâques.

Iles que l'avion n'a touchées que récemment. Iles dont le survol est périlleux. L'avion est ici oeil d'oiseau — *Matahemanu*. Vues du ciel, les Iles Marquises exercent leur enchantement qui ne va pas sans mystère. Il ne faut surtout pas passer sans atterrir pour retrouver la Polynésie encore préservée des dommages de la civilisation.

Double page précédente: Fatuiva, les flancs décharnés d'une chaîne allongée enserrant de profondes vallées autrefois occupées par de farouches guerriers qui résistèrent longtemps aux Européens.

*Fatuiva, la plus méridionale des Marquises. C'est là qu'en 1595 l'Espagnol Alvaro de Mendana inaugura une nouvelle ère de l'histoire de ces îles qu'il nomma Marquesas de Mendoza. Les descendants de ceux qui, en échange de noix de coco reçurent un coup de canon, vivent aujourd'hui dans les vallées d'Hanavave, face à la majestueuse Baie des Vierges, au Nord-Ouest (**photo du haut, page de droite**), et d'Omoa au Sud-Ouest (**page de droite, photo du bas**), seules baies propices à l'accostage, à l'abri de ces caps dangereux.*

111

110

A Tahuata, paysage marquisien où se fondent le bleu et le vert, l'eau et la roche, l'ombre et la lumière *(ci-dessous)*.

Ci-contre, île inhabitée à la forme animale, l'aride et dangereuse Motane fût autrefois peuplée. Quelle meilleure preuve de la volonté et du courage marquisiens . . .

115

En page de gauche, Atuona, à Hiva Oa, dans l'incomparable Baie des Traîtres. Ici se mêlent le souvenir du passé, de Gauquin et de Brel, les rires des jeunes filles du pensionnat catholique des Marquises et les bruits de la capitale du groupe d'îles du sud qui s'étend en arrière de la cocoteraie, à l'abri de la plage.

L'intérieur de l'île, à Hiva Oa *(en page de droite)*. Paysage tourmenté de crêtes dénudées et de sombres torrents, coups de griffes dont la nature est seule à pouvoir rendre le bleu.

116

«Ua Pou, les deux Poteaux, ou poteau dans le trou, île tourmentée, silhouettes convulsées d'anciens jets de roches ignées», **ci-dessous**.
(Victor Segalen: «Journal des Iles»).

En page de droite, la baie de Taiohae à Nuku-Hiva. Un cirque fantastique, une baie profonde entourée d'une barrière montagneuse culminant à 1 160 m. Le meilleur site portuaire des îles Marquises et la capitale de l'archipel. . . mais il n'y a qu'un wharf (à gauche sur la photo) et seulement 1 157 habitants.

118

117

LES ILES
AUSTRALES

C

Dans l'ensemble polynésien, les îles Australes constituent un monde tout à fait différent.

Ces îles, 5 hautes et quelques îlots, situées entre 21° et 28° Sud, sont d'abord des terres lointaines. Les contacts avec le reste de l'humanité ont été tardifs. Ils ne datent guère que du début de ce siècle, en dépit d'équipées plus anciennes comme celle des mutinés de la *Bounty*. Aujourd'hui encore la lointaine Rapa demeure un des «bouts du monde», à 1 500 km de Tahiti.

Petites et de faible altitude, ces îles sont exposées aux influences océaniques australes. Cela produit un environnement quelque peu désolé et austère, bien éloigné des rivages enchanteurs ou des montagnes luxuriantes des archipels plus septentrionaux. Ces paysages sévères, aux grandes étendues de fougères, courant sur des sols rouges et peu fertiles, séduisent et emportent l'imagination. Terres de légendes et de traditions.

Une race d'une stature exceptionnellement élevée y habitait autrefois et quelques *tiki* de pierre évoquent un passé fabuleux. Comme témoignent de la formidable créativité de ces peuples les remarquables sculptures sur bois ou les vestiges archéologiques qu'on y a retrouvés.

De nos jours, l'isolement de ces îles chevauchant le tropique du Capricorne est rompu par la régularité des vols et celle de l'arrivée des goélettes.

Les hommes, peu nombreux – 6 283 sur les cinq îles hautes – s'attachent à maintenir le passé. Et même lorsqu'ils quittent leurs îles – ils sont nombreux à le faire – c'est souvent pour exporter leurs chants et leurs danses. Des Australes viennent certains des meilleurs groupes folkloriques de la Polynésie.

Ceux qui restent, ou qui, fait nouveau, retournent au pays, se groupent en villages. Le café, les légumes, la vannerie sont encore le reflet, sur les marchés tahitiens, de l'activité de ces îles.

Il n'en reste pas moins que ces terres au climat frais et nettement contrasté, à l'aspect parfois proche de celui de la campagne anglaise, sont le royaume du calme et de la sérénité. On dit aussi que, des Australes, viennent les plus jolies filles de Polynésie . . .

Découvertes par Cook en 1769, les Australes résonnent toujours des voix pleines des groupes de chant: les *Pupu himene*. A l'atterrissage, le paysage s'emplit de ces hymnes collectifs qui parlent de ce monde et de ces hommes que la vue d'avion a déjà fait aimer.

121

122

Pages précédentes: aux Australes les hommes vivent groupés, en villages au débouché des vallées, comme ici Avera, à Rurutu.

Ci-contre, en haut, et en page 114, Tubuaï, la capitale administrative de l'archipel et la plus grande des îles. Fraîches et belles Australes, aux hautes surfaces dénudées, à la maigre· végétation de fougères, aux bosquets de aïto et de burao . Iles perdues, îles sévères peut-être, mais aussi îles vivantes dont témoignent reboisement et cultures.

Ci-contre, en bas, Rapa n'est visitée que 3 à 4 fois par an. Ile aux forteresses légendaires accrochées aux pitons. Ile où vit aujourd'hui un demi-millier d'hommes qui élèvent des chèvres et cultivent le taro .

Seul atoll des Australes, les Iles Maria se composent de quatre motu et sont peuplées d'une grande variété d'oiseaux qui y trouvent une sécurité propre aux îles inhabitées (ci-dessous).

Page 128, Moorea et Tahiti, sur l'horizon, au lever du soleil.

123

Passe
de Papenoo

㉕

㉖

㉘ Papenoo

P.K. 20

Le Trou
du Souffleur

㉛

Pointe
Vénus

Mahina

P.K. 15

P.K. 25

Haapape

㉔

⑰ ⑲

Baie de Matavai

⑳ ㉒

V. de Tetiaaroa

V. de Papenoo

㉗

Cascade de
Faarumai

⑱ Tombeau
de Pomaré V

Arahiri

Arue

P.K. 5

Aramaoro 1530 m

Piraé

Taaone

Papaoa

㉓ Le Belvédère

V. de Tuauru

Riv. Tuauru

V. Tepimaiateta

Riv. Papenoo

Grotte
d'Anapiro

④ ⑥ ⑤

Fare Uté

④

⑧

⑯ ⑮

Mamao

Riv. Fautaua

㉑

Fare-Aru-Ape

⑩

⑫

⑨

PAPEETE

⑪

Tipaerui

③

Le Pic
Rouge 351 m

V. de Fautaua

⑬

Hôtel Tahiti

⑭

Hotuarea

Massif du
Pic Vert

Riv. Tipaerui

Ⓑ Cascade de Fautaua

Aéroport
International
de Tahiti Faaa

Faaa

V. de Tipaerui

Aorai 2066 m

Orohena 2241 m

Plateau de
Viriviriterau

㊼

②

Hôtel Beachcomber
Hôtel Tepuna Bel Air
Hôtel Maeva Beach
Hôtel Climat de France

Marau 1493 m

Diademe 1321 m

V. Maroto

Urufa 1493 m

Lac Vaihiria

㊻

Taapuna

㊹

Tetufera 1799 m

㊺

Atitue

Riv. Punaruu

Plateau de
Tetamanu

Taiti 1368 m

㊶

㊵

Punaauia

Musée de Tahiti
et des Iles

V. de Punaruu

Mahutaa 1501 m

P.K. 15

㊸

㊷

V. Hopa

Ivirairai 1696 m

V. d'Oroféro

V. Temarua

Riv. Ahoaraa

Riv. Tahanuu

Colline Tumutea

P.K. 45

Paea

Marae de
Arahurahu

Toetoe

P.K. 25

Atimaono

Tavera

Golf

Fareorea

Grotte de
Maraa

P.K. 35

P.K. 40

Mahaiatea

P.K. 30

Papara

Marae de
Mahaiatea

Pointe de Maraa

Maraa

㊴

㊳

Passe de
Teavaraa

Les numéros indiqués sur les cartes
des pages suivantes correspondent
à ceux des photographies présen-
tées dans ce livre, dans leur ordre
de mise en page, et non à la pagi-
nation du livre lui-même.
De plus ils indiquent l'angle approxi-
matif sous lequel a été prise chacune
des vues aériennes.

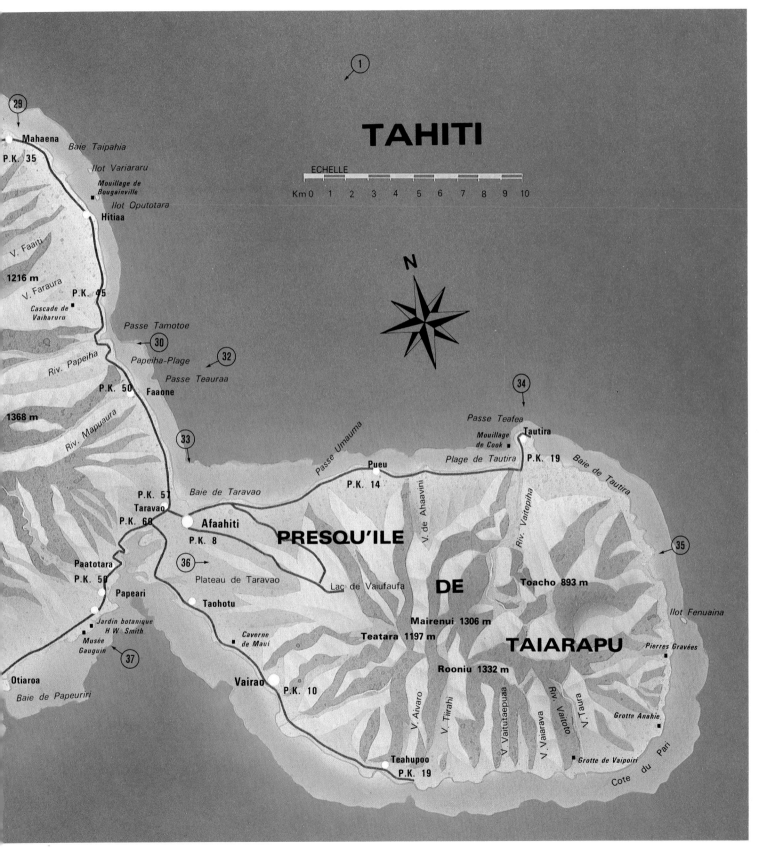

TAHITI

ECHELLE

Km 0 1 2 3 4 5 6 7 8 9 10

N

Mahaena
P.K. 35
Baie Taipahia
Ilot Variararu
Mouillage de Bougainville
Ilot Oputotara
Hitiaa

V. Faaiti
1216 m
V. Faraura
P.K. 45
Cascade de Vaiharuru

Passe Tamotoe
Papeiha-Plage
Passe Teauraa

Riv. Papeiha
P.K. 50 Faaone

1368 m
Riv. Mapuaura

Passe Umauma
Pueu
P.K. 14

Passe Teafea
Mouillage de Cook
Tautira
Plage de Tautira
P.K. 19 Baie de Tautira

P.K. 57
Taravao
P.K. 60
Baie de Taravao
Afaahiti
P.K. 8

Paatotara
P.K. 50
Papeari

Plateau de Taravao

Taohotu

Lac de Vaiufaufa

PRESQU'ILE

DE

TAIARAPU

V. de Ahaavini
Riv. Vaitepiha

Toacho 893 m
Ilot Fenuaina

Mairenui 1306 m
Teatara 1197 m
Rooniu 1332 m
Pierres Gravées

Jardin botanique H W Smith
Musée Gauguin

Otiaroa
Baie de Papeuriri

Caverne de Maui

Vairao
P.K. 10

Teahupoo
P.K. 19

V. Aivaro
V. Tiirahi
V. Vaitutaepuaa
V. Vaiarava
Riv. Vaitoto
V. Taura
Riv. Taura

Grotte Anahie
Grotte de Vaipoiri

Cote du Pari

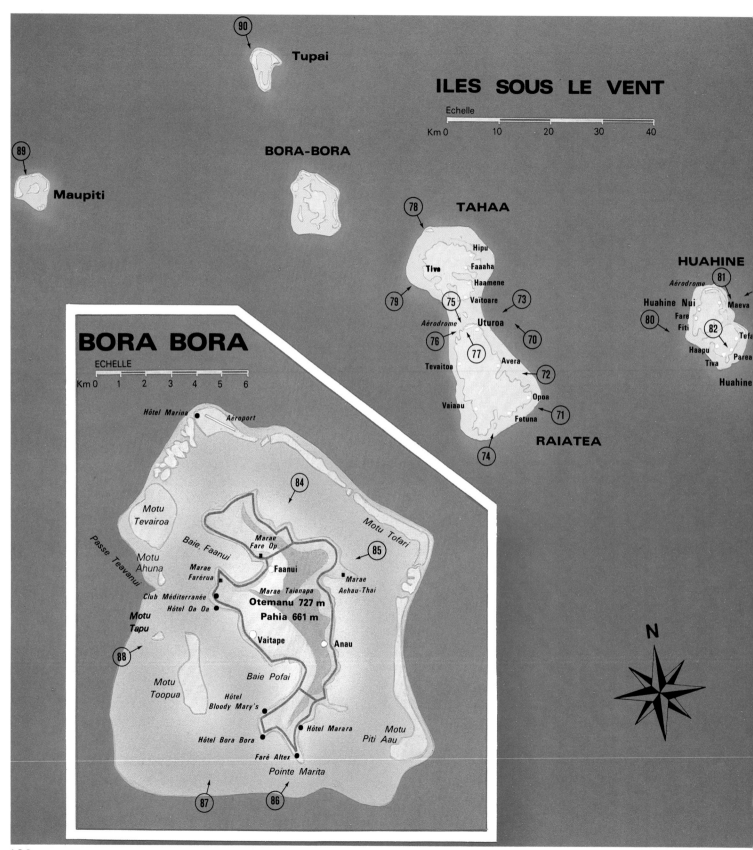

ILES SOUS LE VENT

Echelle

Km 0   10   20   30   40

90 → Tupai

89 → Maupiti

BORA-BORA

TAHAA

78

Hipu

Tiva

Faaaha

Haamene

79   75   Vaïtoare   73

Aérodrome   Uturoa

76   70

77   Avera

Tevaitoa   72

Opoa

Vaiaau   71

Fetuna

74

RAIATEA

HUAHINE

Aérodrome   81

Huahine Nui   Maeva

80   Fare

Fiti

82   Tefa

Haapu   Parea

Tiva

Huahine

BORA BORA

ECHELLE

Km 0 1 2 3 4 5 6

Hôtel Marina   Aéroport

84

Motu
Tevairoa

Baie, Faanui

Marae
Fare Op

Motu
Ahuna   Faanui

Marae
Farérua   85

Motu Tofari

Marae Taianapa   Marae
Aehau-Thai

Club Méditerranée

Hôtel Oa Oa   Otemanu 727 m

Pahia 661 m

Motu
Tapu   Vaitape   Anau

88

Baie Pofai

Motu
Toopua

Hôtel
Bloody Mary's

Motu
Piti Aau

Hôtel Marara

Hôtel Bora Bora

Faré Altex

Pointe Marita

87   86

Passe Teavanui

N

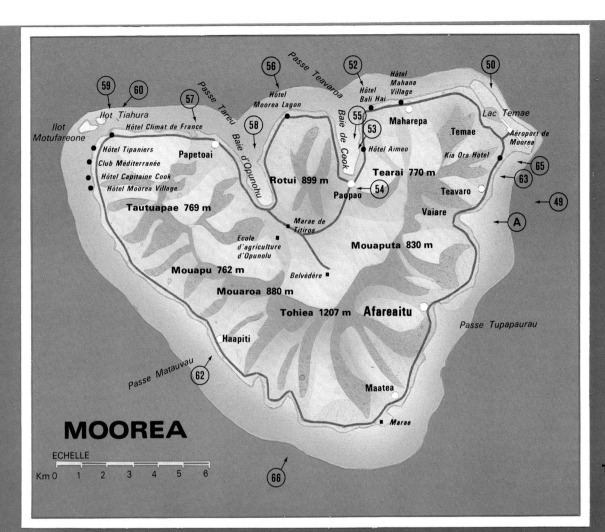

MOOREA

ECHELLE

Km 0   1   2   3   4   5   6

Ilot Tiahura

Ilot Motufareone

Hôtel Climat de France

Hôtel Tipaniers

Club Méditerranée

Hôtel Capitaine Cook

Hôtel Moorea Village

Papetoai

Tautuapae 769 m

Mouapu 762 m

Mouaroa 880 m

Tohiea 1207 m

Haapiti

Passe Matauvau

Passe Tareu

Baie d'Opunohu

Hôtel Moorea Lagon

Passe Teavaroa

Marae de Titiroa

Ecole d'agriculture d'Opunolu

Belvédère

Rotui 899 m

Baie de Cook

Paopao

Hôtel Bali Hai

Hôtel Mahana Village

Maharepa

Hôtel Aimeo

Tearai 770 m

Mouaputa 830 m

Temae

Lac Temae

Aéroport de Moorea

Kia Ora Hotel

Teavaro

Vaiare

Afareaitu

Passe Tupapaurau

Maatea

Marae

Tetiaroa

ILES DU VENT

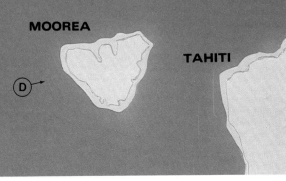

MOOREA

TAHITI

ARCHIPEL DES
TUAMOTU

ECHELLE

Km 0   100   200   300   400   500

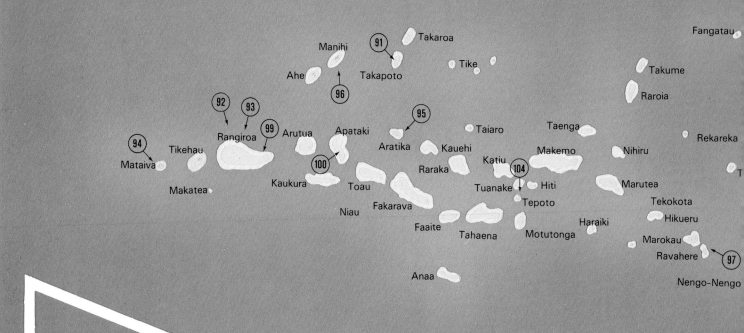

Tepoto   Napuka

Fangatau

91   Takaroa

Manihi   Tike   Takume

Ahe   Takapoto   Raroia

96

92   93   Taiaro   Taenga   Rekareka

99   Arutua   Apataki   95   Nihiru

94   Tikehau   Rangiroa   Aratika   Kauehi   Taenga   Marutea

Mataiva   100   Raraka   Katiu   104

Makatea   Kaukura   Toau   Tuanake   Hiti   Tekokota

Niau   Fakarava   Tepoto   Hikueru

Faaite   Haraiki   Marokau

Tahaena   Motutonga   Ravahere   97

Anaa   Nengo-Nengo

ARCHIPEL
DES AUSTRALES

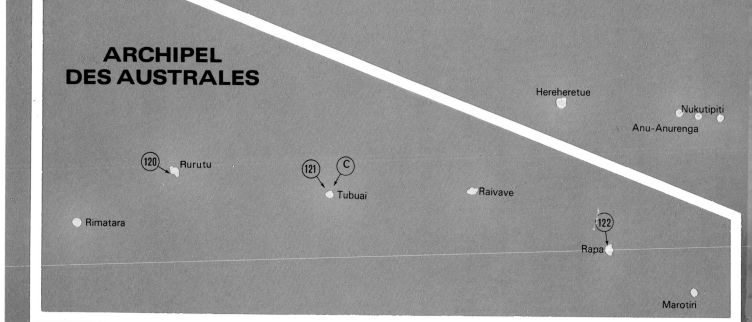

Hereheretue

Nukutipiti

Anu-Anurenga

120   Rurutu

121   C

Rimatara   Tubuai   Raivave

122

Rapa

Marotiri

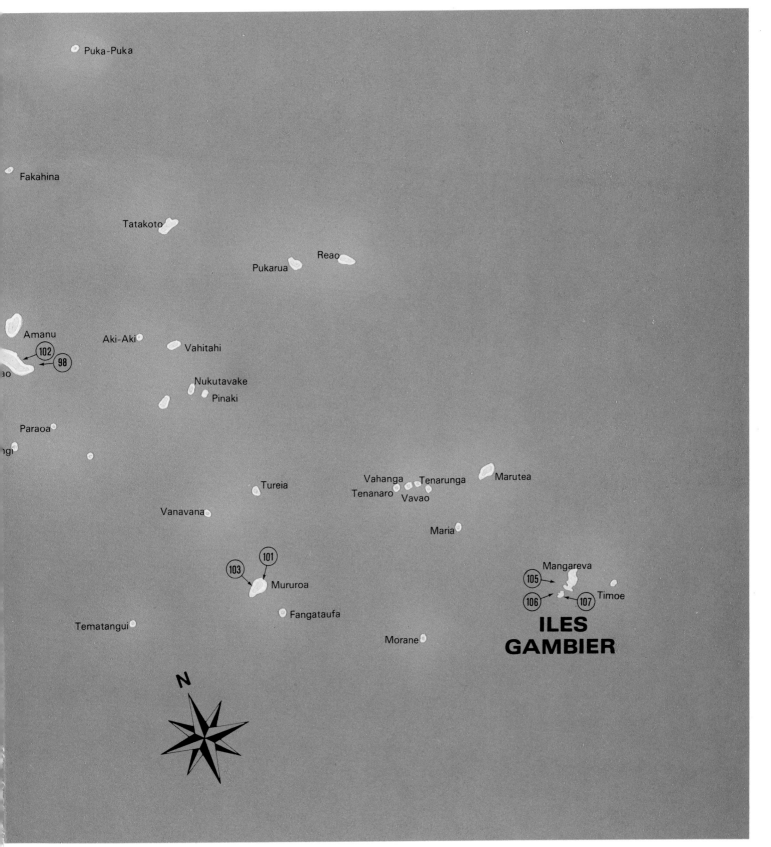

Puka-Puka

Fakahina

Tatakoto

Reao

Pukarua

Amanu

Aki-Aki

Vahitahi

Nukutavake

Pinaki

Paraoa

Tureia

Vahanga Tenarunga

Tenanaro Vavao

Marutea

Vanavana

Maria

Mangareva

Muruoa

Timoe

Fangataufa

ILES
GAMBIER

Tematangui

Morane

N

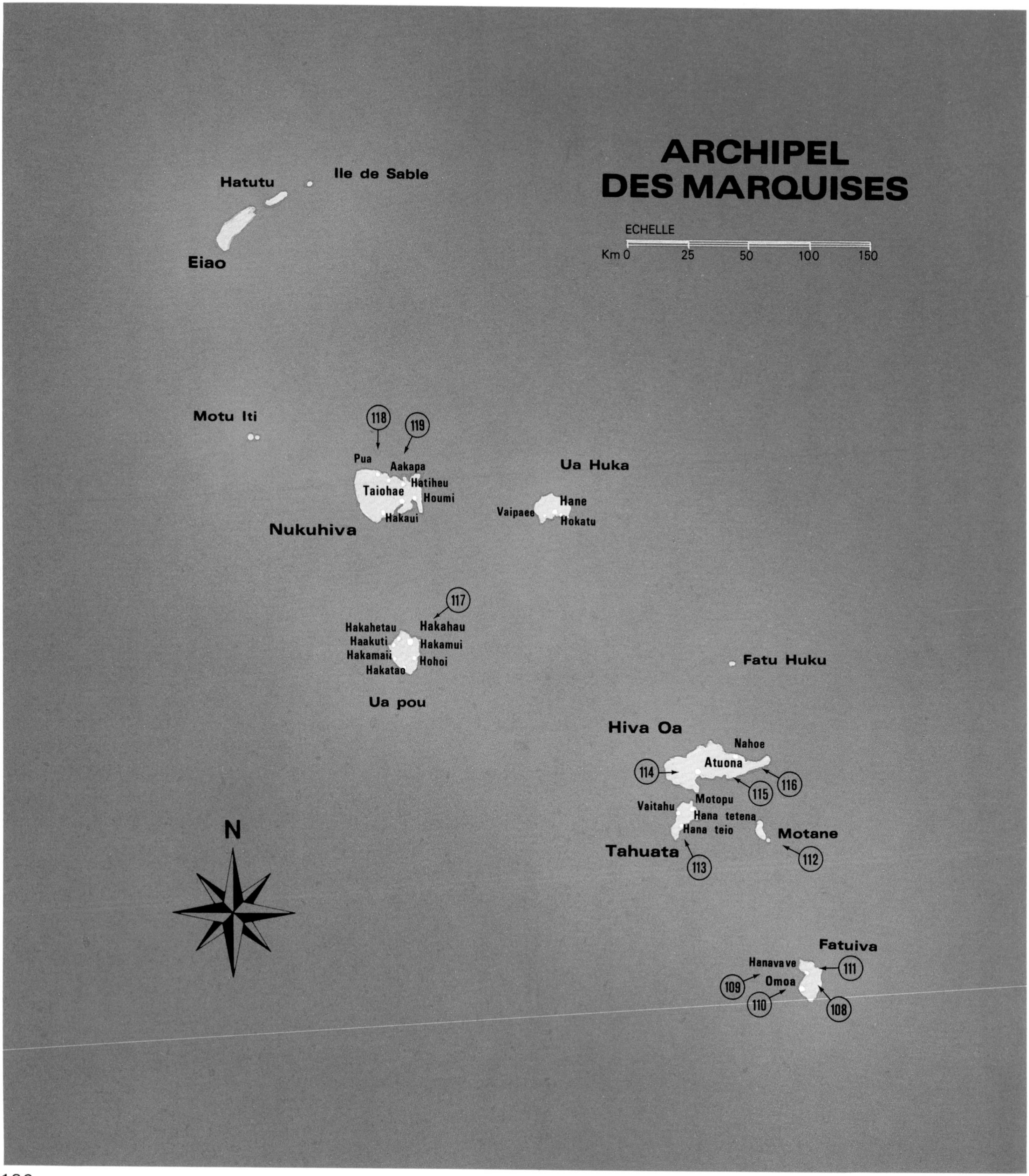
ARCHIPEL
DES MARQUISES
ECHELLE
Km 0
25
50
100
150
Hatutu
Ile de Sable
Eiao
Motu Iti
118
119
Pua
Aakapa
Hatiheu
Taiohae
Houmi
Hakaui
Nukuhiva
Ua Huka
Hane
Vaipaee
Hokatu
117
Hakahetau
Hakahau
Haakuti
Hakamui
Hakamaii
Hohoi
Hakatao
Ua pou
Fatu Huku
Hiva Oa
Nahoe
Atuona
114
115
116
Motopu
Vaitahu
Hana tetena
Hana teio
Motane
Tahuata
113
112
N
Fatuiva
Hanavave
111
109
Omoa
110
108

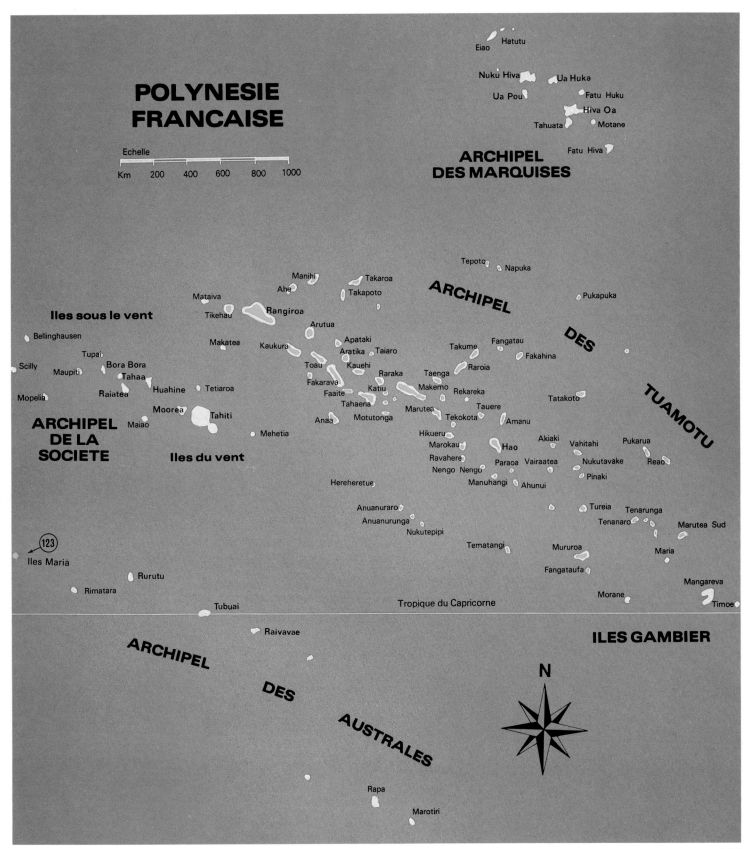

POLYNESIE
FRANCAISE

Echelle

Km 200 400 600 800 1000

ARCHIPEL
DES MARQUISES

Eiao Hatutu

Nuku Hiva Ua Huka
Ua Pou Fatu Huku
Hiva Oa
Tahuata Motane
Fatu Hiva

Iles sous le vent

Bellinghausen

Tupai
Scilly
Maupiti Bora Bora
Tahaa
Mopelia Raiatea Huahine Tetiaroa
Moorea
ARCHIPEL Maiao Tahiti
DE LA
SOCIETE Iles du vent
Mehetia

Mataiva
Tikehau Rangiroa
Arutua
Makatea Kaukura
Apataki
Aratika Taiaro
Toau Kauehi
Fakarava Raraka
Faaite Katiu
Tahaena
Anaa Motutonga

Manihi Takaroa
Ahe Takapoto

Tepoto Napuka

ARCHIPEL

Pukapuka

DES

Takume Fangatau
Fakahina
Taenga Raroia
Makemo Rekareka
Marutea Tauere
Tekokota Tatakoto
Amanu
Hikueru
Marokau Akiaki Vahitahi Pukarua
Hao
Ravahere Paraoa Vairaatea Nukutavake Reao
Nengo Nengo Pinaki
Manuhangi Ahunui

TUAMOTU

Hereheretue

Anuanuraro
Anuanurunga
Nukutepipi

Tureia Tenarunga
Tenanaro Marutea Sud
Tematangi Mururoa Maria
Fangataufa
Morane Mangareva
Tropique du Capricorne Timoe

Iles Maria

Rurutu
Rimatara
Tubuai

Raivavae

ILES GAMBIER

ARCHIPEL

DES

AUSTRALES

N

Rapa

Marotiri

D

Achevé d'imprimer: Avril 1988
Dépôt légal: 2e trimestre 1988